OÙ LE SAVOIR VIENT À LA VIE
Visitez-nous sur Internet www.dk.com

Rédaction Jane Yorke
Directrice à la rédaction Mary Atkinson
Directeur Artistique Chris Scollen
Maquettiste Mary Sandberg
DTP Phil Keeble
Fabrication Josie Alabaster
Couverture Margherita Gianni
Recherche photos Jamie Robinson
et Lee Thompson

Édition originale publiée en Grande Bretagne
par Dorling Kindersley Limited,
9 Henrietta Street,
London WC2E 8PS

Sommaire

Index Petit

PETIT

Découvre le monde du minuscule à la loupe

Claire Llewellyn

Les éditions Scholastic

Les petites créatures se cachent sous les feuilles et les pierres.

Vues à la loupe, les petites bêtes paraissent beaucoup plus grosses.

La petite bête qui monte

Les coccinelles sont de petits coléoptères rouges. Elles avancent à pas minuscules sur les branches et se nourrissent de pucerons.

Petite mais costaud

Les fourmis coupeuses de feuilles peuvent transporter des morceaux de feuilles deux fois plus gros qu'elles.

Tu ne m'auras pas!

Les poissons minuscules sont des proies faciles. Mais ils sont beaucoup plus difficiles à capturer s'ils nagent à plusieurs, en banc.

Anecdote minuscule
Les oiseaux-mouches ne sont pas plus gros que le petit doigt.

Anecdote géante
L'autruche est l'oiseau le plus grand du monde. Debout dans une pièce, elle toucherait le plafond.

Mini acrobate

Les grenouilles au dard empoisonné et aux couleurs vives sont faciles à repérer, même si elles sont incroyablement petites.

Bon appétit!

Les musaraignes naines semblent toutes petites à côté d'un ver de terre, mais leurs dents sont capables de morsures mortelles.

Sous l'œil du microscope vit un monde invisible.

Ce microscope agrandit jusqu'à 2 000 fois.

Acarien

Ce monstre est en réalité un acarien microscopique qui se nourrit de la poussière de nos maisons.

Graines de pollen

Ces petites taches sont des graines de pollen agrandies. Le pollen flotte dans l'air de façon invisible et aide les plantes à faire de nouvelles graines.

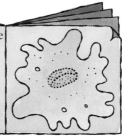

Anecdote minuscule

Les amibes vivent dans l'eau. Leur corps minuscule n'est composé que d'une seule cellule.

Anecdote géante

L'éléphant est l'un des animaux les plus gros du monde. Son corps est composé de milliards de cellules.

Flocon de neige

Un flocon de neige vu au microscope ressemble à un cristal de glace à six branches.

Algue marine

Chaque goutte d'eau de mer contient d'invisibles plantes appelées plancton.

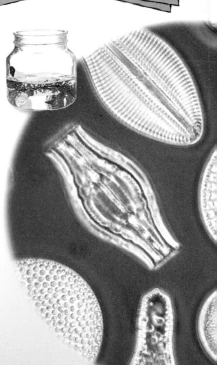

Graines de pavot.

Les graines minuscules s'envolent au gré du vent.

Souffle les graines

Les graines sont souvent tellement petites et légères qu'elles sont emportées par le vent.

Graines de monnaie-du-pape.

Une explosion de graines

La tête des soucis regorge de graines brunes. Lorsqu'elle est mûre, la tête éclate et laisse échapper toutes ces graines.

Graines de soucis.

L'envol des parachutes

Les graines de pissenlit
sont recouvertes d'une
fine couche
pelucheuse qui leur
permet de flotter
dans l'air.

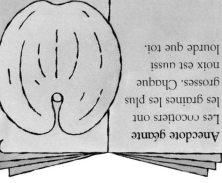

Anecdote
minuscule
Les orchidées sont
les plantes qui ont
les plus petites
graines.

Anecdote géante
Les cocotiers ont
les graines les plus
grosses. Chaque
noix est aussi
lourde que toi.

À table !

Un épi de blé mûr
contient des dizaines de
graines minuscules. C'est
un vrai festin pour les rats
des champs.

Petite mais douillette

Les fleurs des montagnes s'abritent
du vent. Elles grandissent en tout
petits bouquets.

Casques
pour chaîne
hi-fi.

Des jeux plein les poches.

Des disques au trésor

Un CD-ROM contient
autant d'informations qu'une
énorme pile de livres, mais il
est beaucoup plus facile à
transporter.

Mini chaîne

La plus petite chaîne du
monde lit la musique
enregistrée sur de
minuscules cartes.

Tic Tac

Plus de 20 engrenages, vis et autres pièces minuscules permettent aux aiguilles de cette montre de tourner et d'indiquer l'heure.

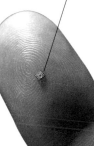

Puce.

Puce intelligente

De minuscules puces électroniques comme celle-ci sont le cerveau de nombreuses machines.

Anecdote minuscule
La télévision la plus petite du monde peut être portée comme une montre.

Anecdote géante
Le plus grand écran de télévision jamais conçu était à peu près aussi grand que deux courts de tennis.

À emmener partout

On ne s'ennuie jamais avec un minijeu électronique et, en plus, il se glisse facilement dans la poche.

Les objets présentés sur cette page sont aux dimensions réelles.

11

La minuscule fourmi

est-elle forte pour sa taille?

Une fourmi peut porter jusqu'à 50 fois son poids.

Oui. Si la fourmi avait la taille de l'éléphant, elle pourrait porter la statue de la Liberté sur son dos.

Soulève les rabats pour comparer le monde du minuscule et le monde du géant.

Le gros éléphant est-il fort pour sa taille ?

L'éléphant peut porter
le quart de son poids.

Non. Si l'éléphant avait la taille d'une souris, il ne pourrait transporter que quelques brins d'herbe.

Soulève les rabats pour comparer le monde du minuscule et le monde du géant.

En croisière

Les paquebots sont d'énormes hôtels flottants. Ils peuvent transporter plus de 3 000 passagers.

Anecdote géante

Les gros-porteurs sont aussi longs que trois courts de tennis. Ils peuvent transporter 570 passangers

Anecdote minuscule

L'ULM peut transporter deux passagers.

Le bras de la grue se déploie sur plus de 30 étages.

De **grosses** machines pour construire de **grands immeubles.**

Gratte-ciel
Certains immeubles sont tellement hauts que les derniers étages sont souvent cachés derrière les nuages. À l'intérieur, de puissants ascenseurs transportent les gens.

Des costauds sans peur
Les camions-grues sont utilisés sur les chantiers pour transporter de lourdes charges.

10

Un arbre immense

L'arbre le plus grand du monde est le séquoia géant. À la base, son tronc peut mesurer jusqu'à 10 mètres d'épaisseur.

Un lit de feuilles

Les feuilles des nénuphars géants sont plus larges qu'un grand lit.

Anecdote géante
La laminaire géante est la plus longue des algues. Ses lames peuvent être aussi hautes qu'un immeuble de 20 étages.

Anecdote minuscule
La lenticule mineure est si petite qu'il faut 20 de ses feuilles pour couvrir un têtard.

Les plantes géantes ont des **fleurs** et des feuilles monstrueuses

Un toit de feuilles
Les arbres de la forêt tropicale ont les plus grandes feuilles du monde. Elles s'étendent et forment un toit au-dessus de la forêt.

Un petit bouquet ?
La fleur la plus grande et la plus odorante du monde est le rafflesia. Elle pousse dans les forêts tropicales de l'Asie du Sud-Est.

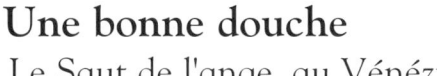

Une bonne douche

Le Saut de l'ange, au Vénézuela, est la
plus grande cascade du
monde. L'eau tombe sur près
d'un kilomètre de haut.

En pleine mer

L'océan Pacifique couvre plus de
surface sur la terre que tous les
continents réunis.

Anecdote géante
Les nuages
orageux mesurent
20 kilomètres de
haut. C'est plus
de 2 fois le
mont Éverest.

**Anecdote
minuscule**
Une goutte de pluie
est à peu près aussi
grosse qu'une
lentille.

Les hautes montagnes s'élèvent vers le ciel.

Quelle escalade !

Ces grimpeurs ont l'air de fourmis ! Ces rochers sont formés de couches de sable qui se sont accumulées pendant plusieurs millions d'années.

Couches de roches.

Anecdote géante
Le diplodocus était le plus gros des dinosaures. Des pieds à la tête, il était aussi grand que sept voitures garées les unes derrière les autres.

Anecdote minuscule
Le compsognathus, le plus petit des dinosaures, il n'était pas plus gros qu'un poulet.

Une énorme prise !
Le requin-baleine est le plus gros des poissons. Il est aussi long que huit plongeurs sous-marins nageant en file indienne.

Le plus long serpent
Le corps glissant du python est aussi long qu'un autobus.

Le python géant peut avaler un animal entier.

5

Les grands animaux vivent sur la terre et dans la mer.

Le plus gros animal terrestre

L'éléphant d'Afrique est le plus gros animal vivant sur la terre. Ses oreilles sont aussi grandes que des couvertures et ses dents ont la taille de briques.

L'éléphant utilise sa trompe pour respirer, barrir et se nourrir.

GRAND

Découvre les merveilles des plus grandes choses du monde

Claire Llewellyn

Les éditions Scholastic

Illustrations de Sally Kindberg.

Photographies de Max Alexander, Paul Bricknell,
Geoff Brightling, Peter Chadwick, Andy Crawford,
Geoff Dann, Neil Fletcher, Steve Gorton, Frank Greenaway,
Gary Kevin, Dave King, Richard Leeny,
Andrew McRobb, Stephen Oliver, Daniel Pangbourne, Tim Ridley,
Tim Shephard, Steve Shott,
Harry Taylor, Jerry Young.

L'éditeur souhaite remercier:
Grand
Bruce Coleman Ltd: Alain Compost
Robert Harding Picture Library: John Gardey; Image Bank: T. Chinami;
Powerstock/Zefa Photo Library;
Stone Images: Doug Armand;
Tom Bean; Peter Pearson;
Karl Weatherly; Stuart Westmorland.

Doubles pages intérieures
American Museum of Natural History;
Bruce Coleman Ltd: Anders Blomquist;
Images Colour Library.

Petit
Bruce Coleman Ltd: Dr Frieder Sauer;
Image Bank: David De Lossy;
MMP Cambridge: Geoff Robinson;
Oxford Scientific Films; Scott Camazine;
Press Tige Pictures; Science Photo
Library: Nelson Morris; Tony Stone
Images: Kevin Cullimore;
Gerben Oppermans; Andrew Syred.

Sommaire

Index Grand